（公財）日本体育施設協会特別会員 水泳プール部会 特別会員名簿

No.	氏 名	担当部署	〒	住 所	上段：TEL 下段：FAX
1	アオイヤマト　有限会社	プール機器 事業部	273-0021	千葉県船橋市海神 6-9-2	047-431-8016 047-431-8416
2	株式会社　アクアプロダクト	アクア事業部	102-0076	東京都千代田区五番町 5-1 JS 市ヶ谷ビル 2F	03-5276-1151 03-5276-1157
3	株式会社　石森製作所	プール・ 可動床部	210-0807	神奈川県川崎市川崎区港町 2-18	044-221-0448 044-233-0685
4	株式会社　協栄	スポーツ・ 文化部	103-0014	東京都中央区日本橋蛎殻町 2-13-9	03-3664-8774 03-3664-1888
5	株式会社　三協	営業本部	480-0202	愛知県西春日井郡豊山町大字 豊場字野田 112	0568-28-1771 0568-28-3754
6	株式会社　三進ろ過工業	東京営業所	170-0002	東京都豊島区巣鴨 1-9-11 第二久保ビル 3F	03-3945-6541 03-3945-6543
7	四国化成工業　株式会社	有機化成品 営業部	261-8501	千葉県千葉市美浜区中瀬 1-3 MTG-B16	043-296-1665 043-350-3580
8	有限会社　シマスポーツ	販売部	130-0005	東京都墨田区東駒形 4-20-14 リバティビル 1F	03-5608-6742 03-5608-6744
9	株式会社　シミズオクト	ファシリティ マネジメント部	112-0004	東京都文京区後楽 1-1-7 グラスシティ後楽 7F	03-6801-6027 03-6801-6028
10	株式会社　ショウエイ	営業部	212-0032	神奈川県川崎市幸区新川崎 2-6	044-589-1601 044-589-1602
11	城山産業　株式会社	営業部	151-0066	東京都渋谷区西原 2-1-4 白倉ビル 1F	03-3460-2625 03-3460-2619
12	シンコースポーツ 株式会社	営業本部	103-0012	東京都中央区日本橋堀留町 2-1-1	03-5614-4450 03-5614-4451
13	株式会社　ジェイ・シー・イー・ オーバーシーズ	プール事業部	186-0011	東京都国立市谷保 6046-2	042-577-0521 042-577-0549
14	積水アクアシステム 株式会社	プラント・イン フラ事業部	104-0045	東京都中央区築地 4-7-5	03-5565-6517 03-5565-6518
15	株式会社　デジョユジャパン		104-0033	東京都中央区新川 1-3-4 PA ビル 6F	03-3523-7663 03-3523-7665
16	株式会社　トーリツ	業務管理課	124-0013	東京都葛飾区東立石 2-14-12	03-3697-7825 03-3697-7687
17	株式会社 東京ドームスポーツ	新規事業 開発部	112-0003	東京都文京区春日 1-1-1 ラクーアビル 7F	03-3817-4001 03-3817-4175
18	東西化学産業　株式会社	テクノエンジ部	210-0814	神奈川県川崎市川崎区台町 7-11	044-270-2310 044-270-2311
19	株式会社　ニッコン	アクアテック 事業本部	161-0033	東京都新宿区下落合 3-16-10	03-3954-0111 03-3954-0150
20	株式会社　日本水泳振興会	事業開発部	164-0003	東京都中野区東中野 3-18-12	03-3369-3239 03-3369-3237
21	株式会社 フクシ・エンタープライズ	営業本部 スポーツ事業部	136-0072	東京都江東区大島 1-9-8	03-3681-0294 03-3681-0299
22	ミウラ化学装置　株式会社	東京営業部	170-0004	東京都豊島区北大塚 2-17-10	03-3916-1200 03-3916-1108
23	ヤマハ発動機　株式会社	プール事業推 進部　営業部	431-0302	静岡県湖西市新居町新居 30□□	053-594-6512 □□-594-1965

JN121375

推薦のことば

公益財団法人 日本体育施設協会
事務局長　今野 由夫

　2020年にオリンピック・パラリンピックが控えていることと、2018年のアジア大会をはじめとした各種国際大会において日本選手が活躍していることもあり、国民のスポーツへの興味や関心が一段と高まってきております。また、国民の健康志向の高まりとともに、生活の中にスポーツを取り入れる方が増えてきており、その中でも遊泳用プールを利用する方が多数いらっしゃいます。

　プールでは、施設管理者の不注意や対応の遅れで重大な事故につながるケースがあり、プールの管理者には安全管理に関する確かな知識が求められています。

　日本体育施設協会水泳プール部会では、プール利用者が安全に、楽しく、快適に過ごしていただけるよう、プールの安全管理に永年携わってきた豊富な経験と実績を活かし、これまでも「プール運営・監視法の安全ガイドライン」を作成し、プール施設関係者の皆様方に提供してまいりました。

　この度、プール監視法の基本や遊泳用プール管理の基本などをさらに充実させ、「プール運営・監視法の安全ガイドライン」の改訂を行いました。

　本書が遊泳用プール施設関係者に広く活用され、プールの安全管理がさらに図られることを祈念し、ここに推薦いたします。

・・

ごあいさつ

公益財団法人 日本体育施設協会
水泳プール部会長　西ノ明 武

　2020東京オリンピック・パラリンピックを目前に控えて、日本国内においてスポーツ活動に参加する、またはスポーツ活動を支える（ボランティア活動など）、そしてスポーツを観戦する気運が高まりつつあります。

　「するスポーツ・観るスポーツ・支えるスポーツ」として国民の一人一人が自主的にスポーツ活動に参加する気運が醸成されつつあり、今後、スポーツ産業界にもたらす多くのビジネスチャンスは計り知れないものを感じております。そして遊泳用プール施設を建設し維持管理する我々の産業界においても大きな転換期となることを期待しております。今やプール施設の利用者の皆様にいかに「安全で快適なプール施設」を提供できるかが最も重要なプール業界の使命であります。

　今回、ここに「ガイドライン」の改訂にあたり、より快適で楽しんでいただける遊泳用プール施設を目指して、「安全な監視法」「事故を未然に防ぐ監視法」「プールの環境衛生」をご提示させていただきます。

　今回の冊子が、皆様の遊泳用プール施設の「事故の撲滅」「プール環境の向上」につながることを祈念しておりますので、どうぞよろしくお願いいたします。

目　次

I プール事故はなぜ起きるのか？

1 事故の原因とは

① 施設・設備の瑕疵によるもの（ハード面）

② 施設管理者・従事者によるもの（ソフト面）

③ 利用者自身の不注意によるもの

④ その他、不可抗力によるもの

2 事故を防止するには

遊泳者管理の徹底
（ルール周知の徹底）

施設管理の徹底
（施設の安全性重視）

職員教育の徹底
（スキルと経験者の配置）

危険要因の除去

未然事故防止

Ⅱ プールの形状による 基本的な監視員の配置例

1 25mプール（6コース）3〜4人

▽25×15m＝375㎡　▽水深 0.8 〜 1.2m

幼児プール　▽水深 0.4 〜 0.6m

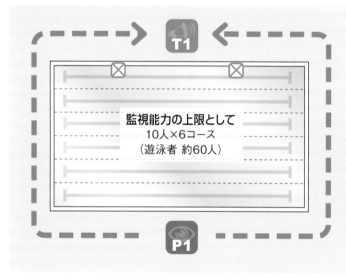

監視能力の上限として
10人×6コース
（遊泳者 約60人）

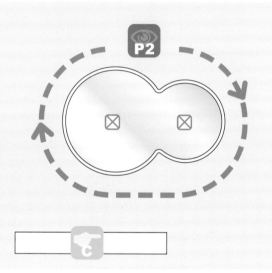

2 50mプール（10コース）6〜7人

▽50×25m＝1,250㎡　▽固定床 1.2 〜 1.6m
▽可動床 0 〜 2.8m

飛込みプール（25×25×5m）

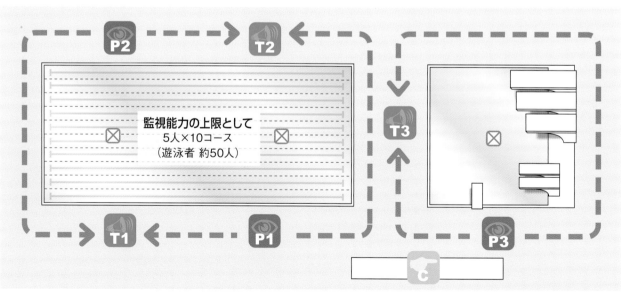

監視能力の上限として
5人×10コース
（遊泳者 約50人）

3 流水プール　6〜8人（30mごとに監視員2人）×4ヵ所

▽全長約120mの場合
※水流は一方方向

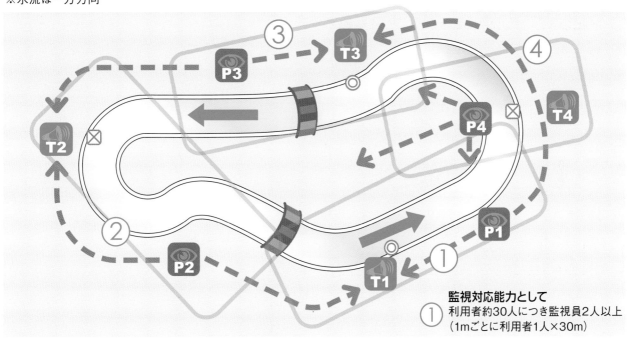

監視対応能力として
① 利用者約30人につき監視員2人以上
　（1mごとに利用者1人×30m）

4 造波プール（波の出ている時間帯）　4〜5人

▽20×40m=1,200㎡　▽水深 0 〜 1.4m
▽波最大高 約1.5m

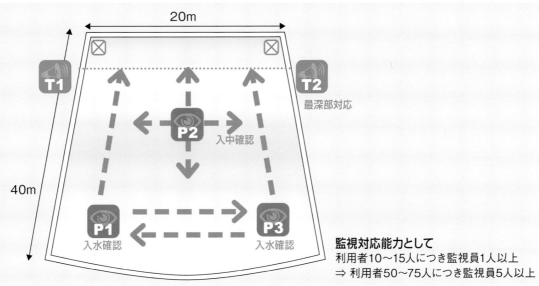

監視対応能力として
利用者10〜15人につき監視員1人以上
⇒ 利用者50〜75人につき監視員5人以上

5 スライダー　　3~4人

▽1〜3本　▽10〜20mの高さ

スタート係

着水
P1

着水合図係

着水
P2

※着水合図後のスタートルールを徹底する

6 アトラクション　　2~3人

▽25×15m=375㎡

15m

25m

P1

P2

P3

※設置アトラクション規模が
　大きく複雑な場合は増員する

監視対応能力として
※子供中心の場合
利用者約10人につき監視員1人以上
⇒ 利用者約30人につき監視員3人以上

■遊泳プール監視員の状況変化に伴う配置人員表（想定）

※ポイント数とは必要な監視員の人数

プール規模	基本人員数		ガードスキル		施設環境		オープン初期
	利用者数	ポイント数	レベル	ポイント数	構　造	ポイント数	
25mプール 6コース 水深0.8～1.2m	100人	5P	上　級	4P	単　純	4P	6P～7P
					複　雑	5P	
			初・中級	5P	単　純	5P	7P～8P
					複　雑	6P	
	60人	4P	上　級	3P	単　純	3P	5P～6P
					複　雑	4P	
			初・中級	4P	単　純	4P	6P～7P
					複　雑	5P	
	30人	3P	上　級	2P	単　純	2P	4P～5P
					複　雑	3P	
			初・中級	3P	単　純	3P	4P～5P
					複　雑	4P	

表の見方　（例）利用者100人の場合（上記の色付き部分）
監視員の基本人員は5人で、ガードスキルが上級レベルの場合は4人が目安となる。
ただし、上級レベルであっても施設環境が複雑な場合は5人、オープン初期には6～7人の監視員が最低限必要となる。

プール規模	利　用　者		ガードスキル		施設環境		オープン初期
	利用者数	ポイント数	レベル	ポイント数	構　造	ポイント数	
50mプール 10コース 水深1.0～1.5m	100人	6P	上　級	5P	単　純	4P	6P～7P
					複　雑	5P	
			初・中級	6P	単　純	5P	7P～8P
					複　雑	6P	
	60人	5P	上　級	4P	単　純	3P	5P～6P
					複　雑	4P	
			初・中級	5P	単　純	4P	6P～7P
					複　雑	5P	
	30人	4P	上　級	4P	単　純	2P	4P～5P
					複　雑	3P	
			初・中級	5P	単　純	3P	5P～6P
					複　雑	4P	

プール規模	利　用　者		ガードスキル		施設環境		オープン初期
	利用者数	ポイント数	レベル	ポイント数	構　造	ポイント数	
流水プール 全長約120m 水深1.0～1.2m	100人	8P	上　級	7P	単　純	6P	8P～9P
					複　雑	7P	
			初・中級	8P	単　純	7P	9P～10P
					複　雑	8P	
	60人	7P	上　級	6P	単　純	5P	7P～8P
					複　雑	6P	
			初・中級	7P	単　純	6P	8P～9P
					複　雑	7P	
	30人	6P	上　級	5P	単　純	4P	6P～7P
					複　雑	5P	
			初・中級	6P	単　純	6P	7P～8P
					複　雑	7P	

ガードスキル	初　級	基本研修修了者であり、監視業務経験が浅い者
	中　級	監視員基本研修及び上級研修修了者であり、2年以上の実務経験者
	上　級	指導者研修修了者で中級を指導する立場であり、5年以上の実務経験者

施設環境	単　純	死角が少なく視界が明瞭であり、利用者導線が明確である
		可動床ではなく、固定の床面施設である
	複　雑	監視の妨げになる施設面の死角があり、利用者導線が複数ある施設
		入り組んで複雑な施設形状・構造であり、可動床を設置している
		天候が不良である（屋外夏季プールの場合）

オープン初期	屋内通年プールの場合はプール開設時、屋外夏季プールの場合は毎年のオープン時期をさす

Ⅲ プール監視法の基本

1 プールの監視とは

① 誰のために、何のために監視するのか?

1) プールを利用するすべての方が安全で、快適な遊泳活動ができるように監視します。
2) プール利用者の身体と生命を守るために、常に緊急事態等を想定して監視します。

② プールを監視することより何を得られるのか?

　監視行為により、プール施設の安全面と衛生面の管理が常に一定水準以上に保たれます。そしてプール施設全体の安全と安心が保たれます。それにより「水泳は安全で楽しいスポーツ」として広く国民に認識されます。

2 監視員の業務分担と業務内容

①【コントロール】 指令業務係、全体指示係、入退場者確認係

・プール施設全体が見渡せる位置（監視員室・プールサイド、プール入口付近）にテーブル等で配置します。
・入場者の動向の観察、手荷物、身に着けている物などをチェックします。
・監視員の配置とローテーション表の確認、他の監視員に指示を出す担当部署になります。

②【タワー】 監視台係、水中監視係、水底監視係

・高所台よりプール水面全体を監視し、水中・水底の遊泳者を主に監視します。
・監視台を起点に扇状態に監視します。定時的にプール四隅の安全確認も行います。
・東西南北の方位を確認し、逆光になると水面が乱反射するため、監視台の位置を変更するなどの工夫をします。

③【パトロール】 巡回監視係、水面監視係、水辺監視係

・プールサイドを自由移動して巡回監視します。タワー監視員と連携して監視業務を行います。
・利用者に対しては必要に応じて、声掛け、ルール・マナーの説明を行います。
・プールサイドの利用者も確認し、プールサイドを走る子供達を防止します。

④【レスト】 待機交代係、水質管理係、その他係

・緊急時の対応を想定して監視員室にて休息・待機します。
・待機中も常にプールサイドに注意を払い、有事に備えています。
・待機の時間帯にプールの水質検査を行い、各記録紙に記入します。
・その他、更衣室への巡回と清掃業務、マット類の交換も行います。

3 監視員の基本的な動作とは

① コントロールの姿勢と監視範囲、監視方法及び入退場者確認、指示命令の業務

位置（プール全体が見渡せる場所）
①監視員室内
②プール入口付近（死角の場合）
③プールの中央部分（テーブルで対応）

業務内容
①入場者の観察をする。
　　健康状態や持ち物・装飾品等のチェック
②スタッフへ指示命令の発信
③放送案内・プール利用上のルール・マナーの説明など
④プールコンディションなどの記録
⑤その他

② タワーの姿勢と交代方法、水中・水底監視方法

監視する姿勢
①浅く腰掛け、片足を下ろす
②姿勢を良くキープし緊張感を保つ
③常に素早く降りられる体勢を保つ

交代の方法（前任者）
①階段部分に立ち、大きな動作で
②指差し確認で「プールの安全確認」
③水面水中、プールサイドまで確認

交代後の動作（後任者）
①監視台に登り指差し確認
②終了後は前任者へ完了の報告

③ パトロールの歩行方法と水面・水辺監視方法

足の運び方

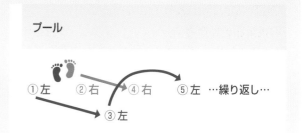

起点～横へ～後ろ足～前～クロス足
プールサイドでは一方向に歩行せず、常にクロスステップを含めて進行方向も後方も視野に入れた監視を実施

水面監視を中心にプールサイドも監視
パトロールは水面でのトラブル者をいち早く発見し、軽溺者に対しては飛び込んで救助

④ レストの業務と緊急時の対応準備

待機場所
①監視員室
②医務室兼用の控室

業務範囲
①プールの水質管理・測定業務
②更衣室等の諸室の安全確認の巡回

緊急時対応の手順について
①控室にて CPR 等の訓練を常に実施
②医務室備品・消耗品等の確認・補充

待機について常に
①有事に備えて休憩しながら待機
②業務連絡事項の確認や新規事項の追加など

4 プール監視法のまとめ

① 業務研修及び資格取得等

1) OJT（On The Job Training）

監視業務の従事者に対して、各現場プール施設において責任者等により、監視レベルの初級・中級・上級監視員としての業務研修を段階的に実施します。

2) OFF-JT（Off The Job Training）

勤務する現場とは別に、職場の全体研修会に参加するなど他のプール施設においても業務研修を行います。さらには公的な資格取得にも努めることが大切となります。

② 業務管理とプール施設管理

1) ソフト

プールの監視員は基本的な泳力はもとより、冷静に状況判断ができる訓練を必要とします。その上において「正常な状態を正しく認識」して判断することと、正常ではない場合の【異常の確知】が判断できる能力を身につけます。そしてスタッフの健康管理に細心の配慮をして、常に心身共に「健康な身体」で業務に励みます。

2) ハード

プール施設面の管理では、日々の施設点検、チェックシートに基づいて丁寧な調査と点検を行い、利用者が安全で快適なプール施設を楽しんでいただけるサービスを提供します。その好循環を持続して理想的なファシリティマネジメントを構築します。

プール監視の考え方

・正常を知らずして 異常の確知なし！
・発見なきところに 対応はなし！

注意点
「監視員の教育研修」は、

「座学による理解と実技による実践が大切！」
「繰り返し・繰り返し練習することが大切！」

IV 遊泳用プール管理の基本

1 プール本体構造の理解

① プール本体構造

現在の多くの遊泳用プールは、以下のとおりです。

- コンクリート製
- ステンレス製
- アルミニウム製 ┐
- 鋼板製　　　　├ 金属製プール
- FRP製

主な用途、耐久性、表面仕上げ、維持管理方法を熟知して、
そのプールの材質に合う適切な管理をすることが重要となります。

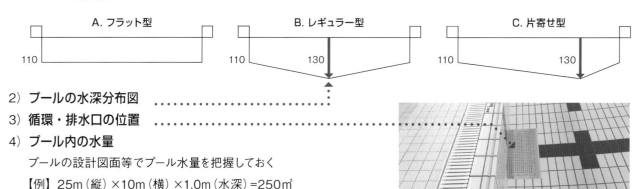

② プール内部の仕上げ方法

	コンクリート	ステンレス	アルミ	鋼板	FRP
素 地	○	○			◎
塗 装	◎	◎	◎	◎	
タイル	◎	◎			○

（コンクリートはモルタル仕上げ）　◎望ましい　○可能

③ プール本体の水深分布等

プールの水深については、館内ロビー、更衣室、入場口プールサイド等に必ず表示しておくことが必要です。

1）プールの断面図

A. フラット型　　110

B. レギュラー型　110　130

C. 片寄せ型　110　130

2）プールの水深分布図 ･･････････････････

3）循環・排水口の位置 ･･････････････

4）プール内の水量

プールの設計図面等でプール水量を把握しておく

【例】25m（縦）×10m（横）×1.0m（水深）＝250㎥

④ プール本体の給排水設備

管理するプールが何方式で給水し浄化しているか理解し、緊急時の対応を十分把握しておくことが重要です。

給水方法　1）直接給水方式　2）バランシングタンク方式　3）還水槽給水方式

浄化方法　1）入れ替え式　　2）循環ろ過式、オーバーフロー式

2 プール水の循環ろ過設備の理解

① ろ過装置の種類、方法

代表的なろ過方式は、砂式、珪藻土式、カートリッジ式の3通りがあります。

1) 砂式ろ過装置

外装 … 鉄、ステンレス、FRP他、やや大きめのろ過タンクを設置

仕組 … 粒の大きさを変えた砂等での多層方式

ろ材 … 天然砂、人工砂の積層、多層式

洗浄方法 … ろ過層の下から上に逆流洗浄し排水

特徴 … ろ過能力が安定的、ろ過タンクがやや大きいため機械室にスペースが必要

2) 珪藻土式ろ過装置

外装 … 鉄、ステンレス、ろ過装置は小さめ

仕組 … ろ過膜を用いて精密にろ過

ろ材 … リーフ、ろ布等

洗浄方法 … シャワー方式、逆流洗浄方式等

プレコート方式 … A.外面プレコート方式 … 加圧式葉状フィルター
　　　　　　　　　　B.外面プレコート方式 … 可逆式フィルター
　　　　　　　　　　C.内面プレコート方式 … 密閉式葉状フィルター

特徴 … ろ過性能が高い、手動式は管理に熟練性が必要

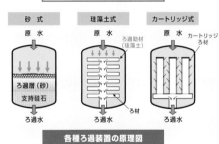

3) カートリッジ式ろ過装置

外装 … 鉄、ステンレス、FRP他

仕組 … 処理能力に応じた本数のカートリッジを収納

ろ材 … 糸巻型カートリッジ

洗浄 … 主にカートリッジを交換する方法（一部洗浄もあり）

特徴 … 交換方法が容易、洗浄が無い、コストが安価

② 水圧変化の仕組み

ろ過装置は右図の様にプール水を何度もろ過層を通過する構造です。

ろ過層に懸濁物質が蓄積すると、ろ過抵抗が増え、水圧も上昇します。

ろ材の洗浄直後はろ過装置の入口側と出口側の圧力はほぼ同じで、

汚れで目詰まりが大きくなるにつれて入口側の圧力が上昇します。

日常の管理で圧力計の値を確認することが大切です。

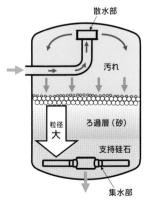

3 アトラクションプール施設等の理解

① アトラクションプール施設等の理解

1）ウォータースライドプール

・FRP、ステンレス製のものが主流です。

・高低差4m以上のスライドの着水プールは水深0.85m以上、スライド出口より6m以上の距離を確保したプールが必要であり、毎年の法定点検が必要です。揚水ポンプ口の点検も必要です。

2）造波プール

・造波装置周辺に人が集まる傾向が強いため、怪我等のトラブル防止として柵を設け、監視員を配置します。

・造波速度、水深等、波形や波高は変化しますので、安全面に十分な配慮が必要です。

3）流水プール

・流水プールの形状、中洲、陸橋、監視の死角等を確認します。

・起流装置の場所、箇所数、取水口、吐出口の形状、二重構造を確認します。

・起流装置付近は急激に水流が強くなるため、装置周辺に監視員を配置することが望ましい（悪ふざけの予防等）。

② アトラクションプールの詳細

1）ウォータースライド：チューブ型・ハーフチューブ型・オープン型（直線型・曲線型・段差型）
2）アトラクションの高低差：高さ4m以上の場合は法定点検が必要
3）遊戯施設型アトラクション：ブランコ・水鉄砲・シャワー・滝・ボルダリング・雲梯等

③ アトラクションプールの構造等

【水流構造も理解する】

現在は、ほとんどのプールに循環水吐出口、吸込口、集水口等がプール槽内に設けられており、常にプール水を循環させています。衛生管理上、目皿をビス等で固定しているものが多いため、定期的な増し締め作業と日々の点検が必要です。また、集水口は吸い込み事故防止のために、集水管にも吸い込み防止対策を施さなくてはなりません。

（二重構造の徹底義務…プールの安全標準指針 平成19年3月 国土交通省・文部科学省）

集水口の位置はプールサイド天端などへ明示を行うことが事故防止の観点からも大変重要となります。

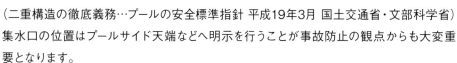

プールの緊急時停止方法の理解

　プールには大量の水が循環していますが、その水は同じプールからポンプによって吸い込まれ再びプールに吹き出しています。従って、誤って人が吸い込まれると大変危険です。遊泳プールのスタッフは、全員が関係する機械・器具の「緊急停止操作方法」を理解して、訓練しておいて下さい。

　機械・器具の「設置場所」と「緊急停止操作方法」を理解して、有事対応訓練を繰り返し行って下さい。

① 大量の水が循環するポンプとは

1）ろ過装置のろ過ポンプ
2）起流ポンプ（流水プール）
3）スライドポンプ（ウォータースライド）
4）アトラクションポンプ
　（ジェット・マッサージ等のアトラクション用ポンプ）
等があります。

② プールの吸水口（取水口）

蓋や目皿等で吸い込まれないよう保護していますが、上図の様な有事の際には ポンプの緊急停止を行って、遊泳者を救助します。

1）ろ過装置、ポンプの停止方法【緊急停止ボタンがある場合】
緊急停止ボタンがある場合（右横写真参考）、直ちに押して、ろ過装置（ポンプ）を止めて下さい。

2）ろ過装置、ポンプの停止方法【緊急停止ボタンがない場合】
緊急停止ボタンがない場合は、制御盤に付いている「ろ過装置」または「循環ポンプ」のボタン（右下写真参考）を操作して、ろ過装置（ポンプ）を止めて下さい。

3）ろ過装置、ポンプの再開方法
上記で緊急停止した場合は、「ろ過装置」または「循環ポンプ」のボタンを停止に操作して下さい。その上で、制御盤に付いている「ろ過装置」または「ろ過ポンプ」のボタンを操作して、ろ過装置（ポンプ）の運転を再開して下さい。

注意点 「緊急停止の操作方法」も「繰り返し・繰り返し練習することが大切です」

プール事故想定・訓練例

| 事故発生の想定 | 25mプールの初心者コース内で溺水事故が発生した。 |

事故想定現場
（25mプール）

T（監視台）

発生場所

事故者

溺水事故の訓練例 ･･

① 事故者の発見（タワー）

タワーの監視員Ａが事故者の異変に気付き、
緊急合図（単管）を発信する

② 事故者への接近（タワー）

監視員Ａは、直ちにタワーを降り、事故発生
現場に急行する

③ 事故者の確保（タワー）

事故現場に到着後、事故者を水面上で保護し、
容体の観察を行う

④ 緊急合図の発信（タワー）

事故者を運搬する間に意識の有無を知らせる
サインを送る

⑤ 緊急合図の発信（他のポジション）

他のポジションが異変に気付き緊急合図（単管）をコントロールに発信する

⑥ 事故現場への応援（パトロール）

事故発生現場に一番近いポジションのパトロールの監視員Bが、現場に急行する

⑦ 事故者の引き上げ（パトロール）

監視員Bが現場に到着し、事故者を引き上げる

⑧ 事故者の観察（応援要請）

引き上げ後、その場で容体を観察し、他のポジションへ応援要請をする

⑨ 事故者の観察（応急処置）

意識不明の状態のため、気道を確保し、呼吸状態の観察を続行する

⑩ 救助資材の運搬（スタンバイ）

スタンバイの監視員Cが現場に毛布と事故記録表を持って到着する

⑪ 応急処置（気道確保と保温）

意識不明のため、気道の確保と保温を行い、
容体観察を続行する

⑫ ポジションのカバー

タワーのポジションに監視員Dがカバーに入
り、全体の安全監視を行う

⑬ 救急車の要請

意識不明の緊急合図を受けたコントロールは、
救急車の要請と他のセクションへ協力の要請
を行う

まとめ ••

　利用者の導線に合わせて適正な監視員を配置し、未然の事故防止に努めていても、完全に事故を防ぐこと
は極めて困難であると考えられます。施設管理者に求められるのは、利用状況から想定される事故・トラブル
を事前に予測し、いかなる状況においても的確な対応が可能な人員体制を常に図り、ポジションごとの連携を
強化させることです。突発的な事故が発生したとしても、傷病者の身体と財物を前提としたリスクを最小限に
食い止めることは不可能ではありません。

プール事故防止対策

1 利用案内・規則による未然の事故防止

　プール施設の安全性・快適性を向上させるためには、安全対策のルールを設け、利用者に対して周知徹底を図り、事故防止への関心を高めていただくことが重要です。監視員は利用者の行動から初心者と熟練者の区別ができる観察力を身につけ、初心者には積極的に利用形態を説明して場内規則への協力を促します。また、利用しやすい環境を目指し、常に施設の整備をしておくことも必要となります。

① 入水前の利用案内

※保護者へ同伴遊泳の案内

② 遊泳時の利用規則

※一人で遊泳している児童に対しての案内

　事故を未然に防ぐために、施設入場前・プール入水前・遊泳時などの各所において利用上の約束事を説明し、協力していただきます。（特に児童に対する保護者同伴のお願いなど）

2 環境整備による未然の事故防止

① 事故発生時の状況（フロア設置）

② 事故後の状況（フロア撤去）

VII 緊急時における事故対策

　施設管理者は、不測の事態に備えて緊急連絡形態及び緊急時における各自の役割を明確化することが要求されます。事故発生時には管理事務所と連携（事故状況の報告）を密にとり、事故現場においては救助員の経験に基づく的確な判断による迅速な救命手当を施し、事故者の犠牲を最小限に食い止める緊急体制を確立することが重要です。

1 緊急時における分担・役割

1）監視員・責任者の役割

○事故者の救出・救命・搬送
○事故発生時における救急車の要請
○プール場内の利用者に対する整理・正常化
○応急処置
○事故状況の記録（事故調書の作成）
○事故者の状況観察

2）事務所職員・責任者・受付職員の役割

○救急車・AED の要請
○プール場内の整理
○救護室への情報収集
○事故者の身内への連絡（本人荷物の確保）
○救急車の誘導
○救急隊の誘導
○救急車の誘導通路の確保

① 救急車要請

② 事故者の救出

③ 応急処置

2 基本的な救助訓練の実施

施設管理者は、スポーツにおいて不可避的な事故に備え、実際の事故場面を想定した救助訓練を日々計画・実行し、プールに従事する者全ての資質向上を図り続ける必要があります。以下に基本的な救助訓練を列挙いたしますので参考にして下さい。

1）緊急時の対応
○実際の場面を想定した、全ポジションの動きの擬似トレーニング
○一連の救助法

2）水中救助法（溺者救助に関する水中技術の習得）

○入水法　　　　○接近法
○水中運搬法　　○引き上げ法

3）陸上救助法（傷病者救助に関する陸上技術の習得）

○陸上搬送法　　○心肺蘇生法（1人法・2人法など）
○AED　　　　○応急手当

4）ガードスキル
○傷病者に対する応急処置法の習得
○順下・巻足・逆あおり・心肺蘇生法の技術向上

5）イメージトレーニング
○施設内で想定できる事故について、ディスカッション形式で全体の動きや救助法の考え方をイメージさせるトレーニング

6）泳力トレーニング

○救助に関する泳力と体力の向上
○ヘッドアップクロールのテクニック向上
○ロング系・スピード系のテクニック向上
○インターバルトレーニングとペース配分の把握

7）筋力トレーニング
○水泳に使う筋群のトレーニング法習得

21

VIII プール監視と警備業法

　平成24年6月、警察庁が「プールの監視業務は警備業法上の警備業務に該当する」とした見解を各都道府県警に改めて通知したことにより、プール監視業務を有償で外部委託しているプールに関しては、受託業者の警備業の認定を受けていることや警備業法に沿った監視員の確保・教育が必要となります。

　しかし、プール監視業務は通常の警備員業務とは異なることから、警察庁は水の安全に携わる関係団体との検討を重ね、平成25年3月に「プール監視業務に従事する警備員の教育内容について」を下記の通り関連団体あてに要請いたしました。プール監視業務を行っている事業者は、これにより十分な監視員教育を実施しなければなりません。

平 成 2 5 年 3 月 5 日

警察庁生活安全局生活安全企画課
犯 罪 抑 止 対 策 室 長

　　　　プール監視業務に従事する警備員の教育内容について（要請）

拝啓
　貴協会におかれましては、平素から警察行政各般にわたり御理解と御協力を賜り、厚く御礼申し上げます。
　さて、昨年6月、「プール監視業務については、プールの所有者から有償で委託を受けて行われている場合は、警備業に該当する。」とした見解を各都道府県警察に改めて示すとともに、貴協会には、プール監視業務を行っている業者に対し、従事する警備員に対する十分な教育及び契約上求められる監視員の確保を徹底するようお願いしているところです。
　この度、業務別教育の教育事項である「その他当該警備業務を適正に実施するため必要な知識及び技能に関すること。」の具体的内容について、水の安全に携わる関係団体等の意見を基に検討したところ、概ね下記に示した内容が必要であると考えられますので、これを参考に業務別教育が行われますよう、会員の皆様に周知をお願い申し上げます。
　なお、基本教育は、警備業務実施の基本原則や関係法令等に関する重要なものであり、特定の区分の警備業務にしか従事しない警備員だからといって、免除することができない性質のものですが、業務別教育については、当該警備員が従事する警備業務に関係のない教育事項については行う必要がないため、時間数等の必要最低限の条件を満たす限りにおいて、警備業者が自らの創意工夫により教育内容を充実していただくことは可能であることを申し添えます。
　　　　　　　　　　　　　　　　　　　　　　　　　　　　　　　　　敬白

　【教育内容】
　　　　○　プール施設の構造と日常の保守、点検等に関すること
　　　　○　プール施設での安全管理体制の整備や事故防止対策に関すること
　　　　○　プール施設での監視や緊急対処としての救助、救護に関すること
　　　　○　プール施設での装備資機材の活用や利用者への情報提供に関すること
　　　　○　その他緊急事態の対応に関すること
　　　　　等の項目について
　【参考資料】
　　　　○　プールの安全標準指針（文部科学省、国土交通省）等

② 現任教育の教育時間数（新旧比較）

教育区分 警備員の区分	現任教育【旧】		現任教育【新】		改正規則の該当条文 【規則第38条第5項】
	基本教育	業務別教育	基本教育	業務別教育	
一般の警備員 （教育の免除・短縮の対象とならない警備員）	半年（教育期） 毎に3時間以上	半年（教育期） 毎に5時間以上	年度ごとに10時間以上		表の一の項

【現任教育の参考例】2日間の場合

◆1日目4時間「基本教育」講義

- ・基本原則　　警備業務の基本原則に関すること
- ・関係法令　　警備業法等警備業務実施に関する必要な法令に関すること
- ・通報連絡　　事故等緊急事態発生時の警察機関への通報及び応急措置に関すること
　　　　　　　応急救護、消火器等の取り扱いに関すること

◆2日目6時間「業務別教育」実技

- ・プール施設の構造と日常の保守、点検等に関すること
- ・プール施設での安全管理体制の整備や事故防止対策に関すること
- ・プール施設での監視や緊急対処としての救助、救護に関すること
- ・プール施設での装備資機材の活用や利用者への情報提供に関すること

※現任教育の合計が10時間以上、各教育における教育内容の時間配分（基本教育・業務別教育）は警備事業者にゆだねられていますが、警備業法施行規則（第38条）に係る教育事項を網羅する必要があります。

◎新任警備講習（確認票参考例）

No.	氏　名	区分	欠格事由確認	面接調査票	提出書類					新任教育の実施			備考
					履歴	誓約	住民	身分	健康	基本	業務別	業務別	
					本人		役所		病院	6h	8h	6h	
1	○○　○○	正規	済	○	○	○	○	○	○	月/日	月/日	月/日	責任者
2	○○　○○	正規	済	○	○	○	○	○	○	月/日	月/日	月/日	責任者
3													

◎現任警備講習（確認票参考例）

No.	氏　名	区分	在籍期間の現任教育の実施			在籍期間の現任教育の実施			在籍期間の現任教育の実施		
			基本 4h	業務別 6h	責任者	基本 4h	業務別 6h	責任者	基本 4h	業務別 6h	責任者
1	○○　○○	正規	月/日	月/日		月/日	月/日		月/日	月/日	
2	○○　○○	正規	月/日	月/日		月/日	月/日		月/日	月/日	
3											

警備業法施行規則の一部改正について ･･･

　令和元年8月30日、警備業法施行規則の一部改正が制定・公布され、警察庁生活安全局より通達（警察庁丙生企発第22号）が発出されました。

警備業教育の実施計画例と必要な関係資料の例 ･･････････････････････････････････････

　警備業法に該当するプールの監視を行う場合、事業者は警備業の認定を受けていることはもちろん、従事する監視員に対して、警備業法に則った教育を実施することが義務付けられています。警備員教育は①新任教育〔20時間以上・監視員として勤務を開始する前までに実施〕と②現任教育〔10時間以上・既に従事している監視員に対し年度毎に実施〕があります。各教育における教育内容の時間配分（基本教育・業務別教育）は警備事業者にゆだねられていますが、警備業法施行規則（第38条）に係る教育事項を網羅する必要があります。警備業法の義務を果たしつつ、効率的で充実した教育を行うためには、各警備事業者の創意工夫が必須です。

① 新任教育の教育時間数（新旧比較）

教育区分 警備員の区分	新任教育【旧】			新任教育【新】			改正規則の該当条文【規則第38条第4項】
	基本教育	業務別教育	実地教育の上限	基本教育	業務別教育	実地教育の上限	
一般の警備員（教育の免除・短縮の対象とならない警備員）	15時間以上	15時間以上	8時間	20時間以上		実施する業務別教育の1/2の教育時間数（上限5時間）	表の一の項

【新任教育の参考例】3日間の場合

◆ 1日目7時間「基本教育」講義

> ・基本原則　　警備業務の基本原則に関すること
> 　　　　　　　監視員の社会的役割、基本的心構え、警備業法15条
> ・関係法令　　警備業法等警備業務実施に関する必要な法令に関すること
> 　　　　　　　警備業法、憲法、刑法、刑事訴訟法
> ・通報連絡　　事故等緊急事態発生時の警察機関への通報及び応急措置に関すること
> 　　　　　　　応急救護、消火器等の取り扱いに関すること、消防法

◆ 2日目7時間「業務別教育」講義・実技

> ・プール施設の構造と日常の保守、点検等に関すること
> ・プール施設での安全管理体制の整備や事故防止対策に関すること
> ・プール施設での監視や緊急対処としての救助、救護に関すること

◆ 3日目6時間「業務別教育」講義・実技

> ・プール施設での装備資機材の活用や利用者への情報提供に関すること
> ・その他緊急事態の対応に関すること

警備業教育の実施計画表の一例 ●●●

　警備業認定事業者には、警備業務に関する専門的知識や技能を有する指導教育責任者を配置し、指導計画に基づく警備員教育が義務付けられています。警備員教育は下記の通り、①新任教育〔30時間（基本教育15時間、業務別教育15時間）〕と ②現任教育〔半期（前期4/1〜9/30、後期10/1〜3/31）毎に8時間（基本教育3時間、業務別教育5時間）〕になります。業務別教育は自らの創意工夫により教育内容を充実することができるため、よりプールの現場に即した内容が求められます。

新任・現任教育の実施時間数表

① 新任（新人・採用）教育					
基本教育	1日目	8h		講義	
15h	2日目	7h		講義	
業務別教育	3日目	3h	5h	講義・実技	
15h	4日目〜	1h	6h	講義・実技	

半期毎に

② 現任（継続者）教育				
基本教育	1日間のみ	3h	講義	
業務別教育		5h	監視実技	

学科・座学　　　実技・プール

新任教育時間の配分例

警備業務 新任教育「基本教育」編 15h			
	AM	PM	
1日目	9:00 − 10:30 − 12:00	13:00 − 14:30 − 16:00 − 18:00	
	警備業法の基本	関係の法令	巡回法
8h	警備員と心構え	憲法・刑法・刑事訴訟法	方法論
2日目	9:00 − 10:30 − 12:00	13:00 − 15:00 − 17:00	
	警備員の資質向上	警備業務の実際	
7h	知識の蓄積	実務に即して対応方	

警備業務 新任教育「業務別教育」編 15h			
	AM	PM	
3日目	9:00 − 10:30 − 12:00	13:00 − 14:30 − 16:00 − 18:00	
	警備業法の基本	プール監視員教育	
8h	警備員と心構え	泳力訓練	救助技能訓練
4日目	9:00 − 10:30 − 12:00	13:00 − 15:00 − 17:00	
	救助	資質向上	監視業務の実際
7h	知識の蓄積	実務に即した対応方	

警備業新任教育の実施確認表の一例

前ページ「新任教育時間の配分例」の詳細の一例は以下の通り。

集合講習

時間	第1日 教育担当	第1日 内容及び方法	第1日 教育事項	第2日 教育担当	第2日 内容及び方法	第2日 教育事項
9〜12	指導教育責任者	・警備員教育について ・警備員の心構え ・業務の基本原則（類似行為禁止）・歴史的背景（推移）	警備業務の基本原則	指導教育責任者	基本的人権に関する憲法の規定を中心に 自由権、社会権の概要と業務の適正化	憲法
	教育責任者	警備業界の現状と警備員の社会的使命 社是・社訓、期待される警備員のあり方、礼式と基本動作	資質の向上		警備業務と犯罪 犯罪の成立要件 正当防衛と緊急避難 主要な犯罪について	刑法
12〜13				昼 食 休 憩		
13〜18	指導教育責任者	午前中説明した礼式と基本動作についての実技練習 端正な服装、姿勢、動作を練成する。離脱要領の実施。	交代法・護身の実技訓練	指導教育責任者	・警察機関への連絡 ・避難誘導 ・業務実施のための機器の使用方法 ・心肺蘇生法（実技）・三角巾の使用方法（実技）・陸上での搬送（実技）	事故発生時の措置
		警備業法の概要 特に警備員に必要な条項を重点的に説明し、理解させる。軽犯罪、消防法、防災、遺失物法についても解説。	警備業法・関係法令		現行犯及び準現行犯の意義と逮捕及び引渡し手続きについて	刑訴法
本日の講習時間		講義のみ	計8h		講義のみ	計7h

各現場講習

時間	第3日 教育担当	第3日 内容及び方法	第3日 教育事項	第4日 教育担当	第4日 内容及び方法	第4日 教育事項
9〜12	指導教育責任者（講義）	・施設に応じた巡回警備実務の確認と資質の向上	業務別教育・施設警備	指導教育責任者及び実技指導員	遊泳プールの各種形状に対する救助法の講義	講義
		施設警備業務の基本 ・巡回の方法に関すること ・不審者に対する警戒方法 ・不審物に対する警戒方法			■プール従事者としての知識 1.プール本体の構造的理解 2.プール衛生管理方法理解 3.備品等の活用方法と広報	施設・装備・資材について
12〜13				昼 食 休 憩		
13〜18	指導教育責任者及び実技指導員	■基本的な泳法、泳力訓練 1.順下飛び、訓練 2.立ち泳ぎの訓練 3.潜水能力の訓練	監視・救助に関すること	指導教育責任者及び実技指導員	・水中での体位変換（2種類）・バックボードの使用要領	緊急時の対応
		■救助資材の活用法 ・リングブイ ・レスキューチューブ ・ロープ法 ・毛布	救助機材の活用		■事故発生から救助迄一連の業務について総合的に学習する。（想定訓練含む）（連携業務の確認）	
		■離脱の方法 ブロックパリーに手をつかまれる前後からの抱きつきに対処する	救助方法			確認評価
本日の講習時間		講義3h／実技5h	計8h		講義1h／実技6h	計7h

※以後、半期毎の「現任教育」は8時間とし、午前中講義3h、午後は現場（業務別）監視法の実技5hとする。

警備業新任教育の実施確認表の一例 ･･

事業所名	○○○市スポーツセンター	

本部　警備担当

No.	氏　名	区分	欠格事由確認	面接調査票	提出書類一式※						新任教育の実施				備考
					Ⓐ履歴	Ⓑ誓約	Ⓒ住民	Ⓓ登記	Ⓔ身分	Ⓕ健康	①8h	②7h	③8h	④7h	
					本人		役所			病院	講義中心		実技中心		
1	○○　○○	社　員	済	○	○	○	○	○	○	○	月/日	月/日	月/日	月/日	責任者
2	○○　○○	社　員	済	○	○	○	○	○	○	○	月/日	月/日	月/日	月/日	
3	○○　○○	社　員	済	○	○	○	○	○	○	○	月/日	月/日	月/日	月/日	
4	○○　○○	社　員	済	○	○	○	○	○	○	○	月/日	月/日	月/日	月/日	
5	○○　○○	パート	済	○	○	○	○	○	○	○	月/日	月/日	月/日	月/日	
6	○○　○○	パート	済	○	○	○	○	○	○	○	月/日	月/日	月/日	月/日	
7	○○　○○	パート	済	○	○	○	○	○	○	○	月/日	月/日	月/日	月/日	
8	○○　○○	パート	済	○	○	○	○	○	○	○	月/日	月/日	月/日	月/日	
9	○○　○○	パート	済	○	○	○	○	○	○	○	月/日	月/日	月/日	月/日	
10	○○　○○	アルバイト	済	○	○	○	○	○	○	○	月/日	月/日	月/日	月/日	
11	○○　○○	アルバイト	済	○	○	○	○	○	○	○	月/日	月/日	月/日	月/日	
12	○○　○○	アルバイト	済	○	○	○	○	○	○	○	月/日	月/日	月/日	月/日	
13	○○　○○	アルバイト	済	○	○	○	○	○	○	○	月/日	月/日	月/日	月/日	
14	○○　○○	アルバイト	済	○	○	○	○	○	○	○	月/日	月/日	月/日	月/日	
15	○○　○○	アルバイト	済	○	○	○	○	○	○	○	月/日	月/日	月/日	月/日	

確認事項

･･
･･
･･
･･

※提出書類一式
　本人：Ⓐ履歴書　Ⓑ誓約書
　役所：Ⓒ住民票　Ⓓ登記されていないことの証明書　Ⓔ身分証明書
　病院：Ⓕ健康診断書

フローチャート式事故対応

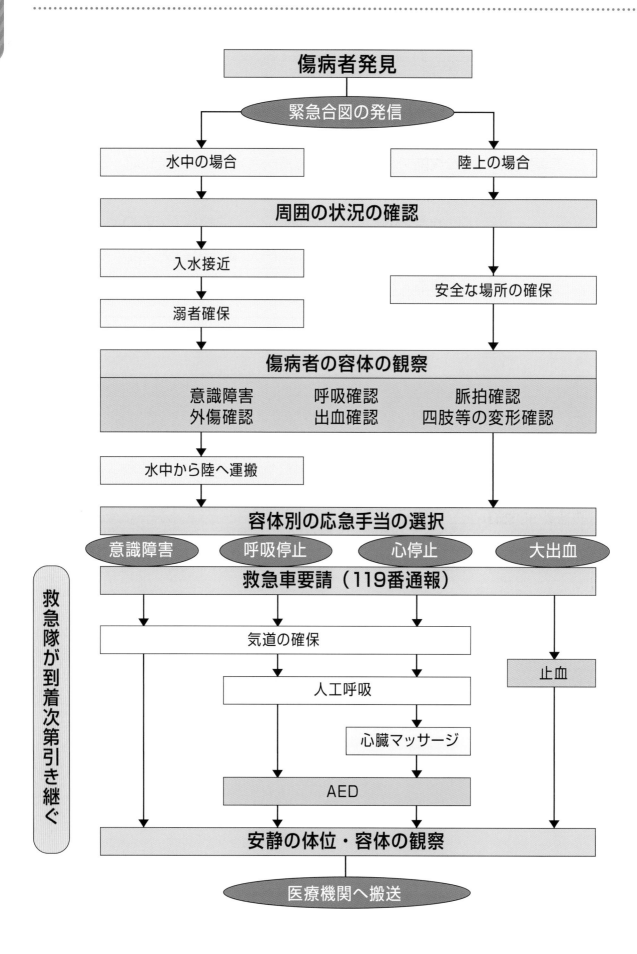

傷病者発見

緊急合図の発信

水中の場合　　　　　　　陸上の場合

周囲の状況の確認

入水接近　　　　　　　　安全な場所の確保

溺者確保

傷病者の容体の観察

意識障害　　呼吸確認　　　脈拍確認
外傷確認　　出血確認　　　四肢等の変形確認

水中から陸へ運搬

容体別の応急手当の選択

意識障害　　呼吸停止　　心停止　　大出血

救急車要請（119番通報）

気道の確保

人工呼吸

心臓マッサージ

止血

AED

救急隊が到着次第引き継ぐ

安静の体位・容体の観察

医療機関へ搬送

緊急連絡形態

緊急連絡先

緊急時	119番通報	
指定病院	○○病院（外科・内科）	○○-（○○○○）-○○○○
	○○病院（整形外科）	○○-（○○○○）-○○○○
	○○病院（眼科）	○○-（○○○○）-○○○○
	○○病院（耳鼻咽喉科）	○○-（○○○○）-○○○○
	○○警察	○○-（○○○○）-○○○○

※施設のよく見える場所に掲示しておくこと。

項　目	内　　　容
連絡・通報	『いつ』・『どこで』・『誰が』・『どうした』のかを正確に伝える。
救急隊への連絡	傷病者の症状・行った応急手当を連絡し、その後の手当の指示を受ける
事故記録内容	①発生時間 ②事故発生時の状況と直後の容体 ③意識・呼吸・脈の有無 ④外傷出血の有無 ⑤応急手当の内容と経過 ⑥容体の回復時間 ⑦事故当事者プロフィール（氏名・連絡先・同伴者氏名） ⑧その他

※事故発生時の状況を正確に記録として残し、今後の事故対策に生かす。

管理組織図・緊急連絡図

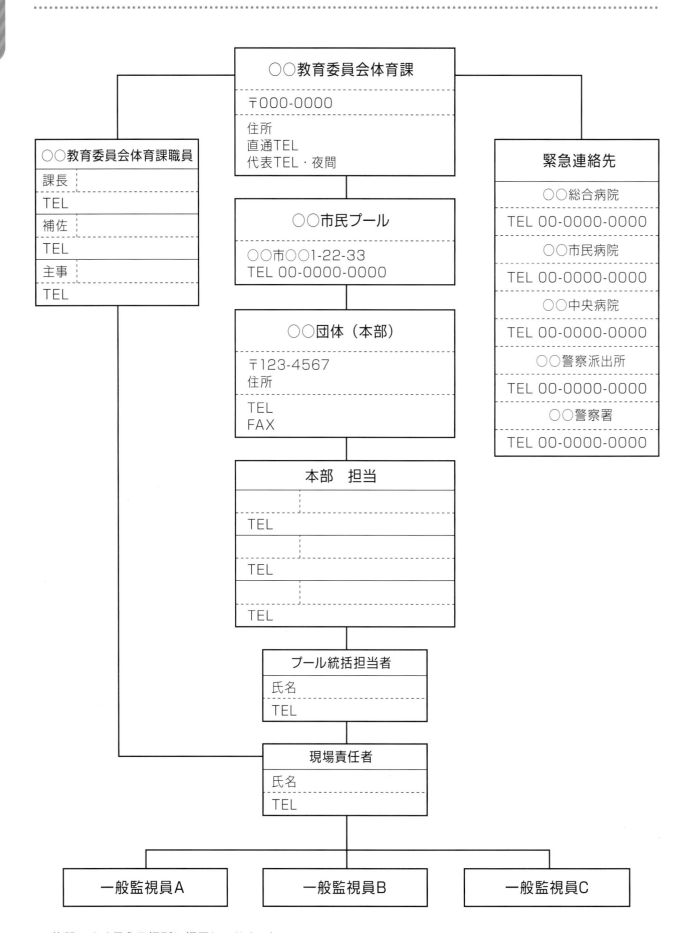

```
                    ┌─────────────────────────┐
                    │   ○○教育委員会体育課      │
                    ├─────────────────────────┤
                    │ 〒000-0000               │
                    ├─────────────────────────┤
                    │ 住所                     │
                    │ 直通TEL                  │
                    │ 代表TEL・夜間            │
                    └─────────────────────────┘
```

○○教育委員会体育課職員

課長	
TEL	
補佐	
TEL	
主事	
TEL	

○○市民プール

○○市○○1-22-33
TEL 00-0000-0000

緊急連絡先

○○総合病院
TEL 00-0000-0000
○○市民病院
TEL 00-0000-0000
○○中央病院
TEL 00-0000-0000
○○警察派出所
TEL 00-0000-0000
○○警察署
TEL 00-0000-0000

○○団体（本部）

〒123-4567
住所

TEL
FAX

本部　担当

TEL	
TEL	
TEL	

プール統括担当者

氏名	
TEL	

現場責任者

氏名	
TEL	

一般監視員A	一般監視員B	一般監視員C

※施設のよく見える場所に掲示しておくこと。